S4C Cyw

Diwrnod Siopa Cyw
Cyw's Shopping Day

Llyfr dwyieithog A bilingual book

y Lolfa

Awdur: Anni Llŷn

Argraffiad cyntaf: 2018
© S4C 2018

Mae hawlfraint ar gynnwys y gyfrol hon ac mae'n anghyfreithlon llungopïo neu atgynhyrchu unrhyw ran ohoni trwy unrhyw ddull ac at unrhyw bwrpas (ar wahân i adolygu) heb ganiatâd ysgrifenedig y cyhoeddwr ymlaen llaw.

Lluniau:
Bait a Debbie Thomas

Rhif llyfr rhyngwladol:
ISBN: 978 1 78461 560 4

Dymuna'r cyhoeddwr gydnabod cymorth ariannol Cyngor Llyfrau Cymru a chydweithrediad S4C, Cyw a Boom Plant a Bait (Rhan o Boom Cymru).

Cyhoeddwyd ac argraffwyd yng Nghymru gan Y Lolfa Cyf., Talybont, Ceredigion, SY24 5HE
e-bost: ylolfa@ylolfa.com
y we: www.ylolfa.com
ffôn: 01970 832304
ffacs: 01970 83278

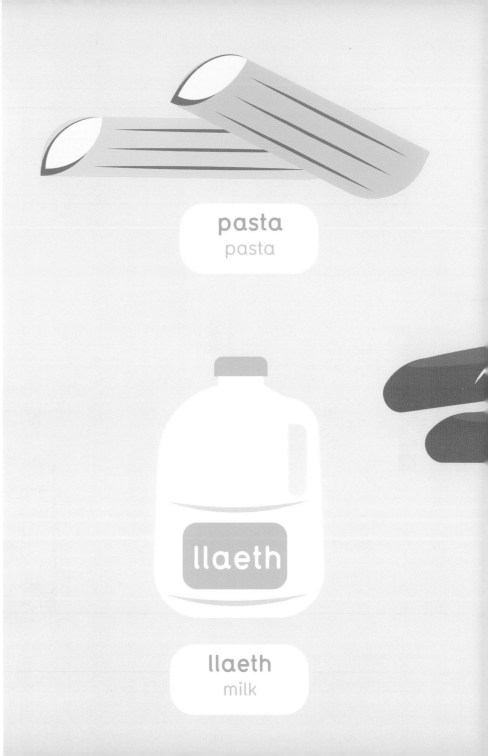

pasta
pasta

llaeth

llaeth
milk

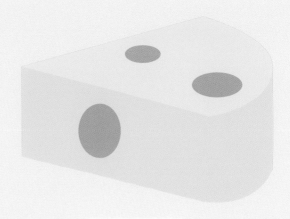

caws
cheese

bara
bread

jam
jam

Roedd hi'n ddiwrnod arbennig ym myd Cyw –
diwrnod siopa.

It was a special day in Cyw's world – shopping day.

I ffwrdd â'r criw i'r siop, gyda rhestr siopa.

Off the gang went to the shop, with a shopping list.

Ymhen amser, roedd y troli bron yn llawn.

After a while, the trolley was almost full.

pasta
pasta

bara
bread

llaeth
milk

caws
cheese

jam
jam

Roedd pump peth ar ôl ar y rhestr – pasta, bara, llaeth, caws a jam.

There were five items left on the list – pasta, bread, milk, cheese and jam.

Aeth Plwmp a Deryn i nôl y pasta.

Plwmp and Deryn went to fetch the pasta.

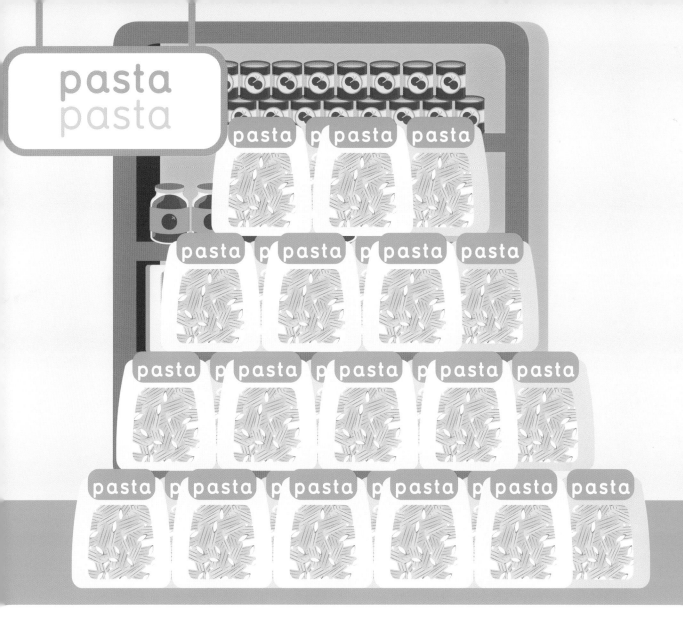

Ond roedd y pentwr pasta yn fawr iawn.

But the pile of pasta was very big.

pasta
pasta

Syrthiodd y pasta i gyd. O na, am lanast!

All the pasta fell down. Oh no, what a mess!

bara
bread

Aeth Bolgi i nôl y bara.

Bolgi went to fetch the bread.

Ond roedd y bara yn hir iawn.

But the bread was very long.

bara
bread

Tarodd Bolgi y bara i gyd. O na, am lanast!

Bolgi knocked all the bread down. Oh no, what a mess!

llaeth
milk

Aeth Llew i nôl y llaeth.

Llew went to fetch the milk.

Ond roedd y llaeth yn drwm iawn ac...

But the milk was very heavy and...

llaeth
milk

... aeth y llaeth i gyd ar y llawr. O na, am lanast!

... all the milk went on the floor. Oh no, what a mess!

Aeth Cyw i nôl y caws.

Cyw went to fetch the cheese.

caws
cheese

Ond roedd y caws yn uchel iawn.

But the cheese was very high.

Neidiodd Cyw. Ond doedd hi ddim yn gallu cyrraedd!

Cyw jumped. But she couldn't reach!

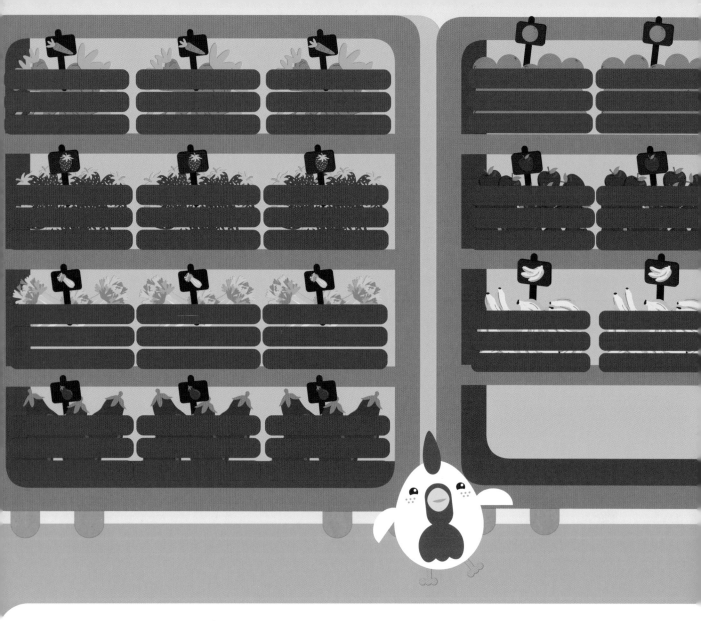

Aeth Cyw i nôl Jangl am help.

Cyw went to fetch Jangl's help.

jam
jam

Roedd Jangl wedi mynd i nôl y jam. Ond roedd y jam...

Jangl had gone to fetch the jam. But the jam...

... yn flasus iawn! Roedd Jangl yn bwyta'r jam i gyd!

... was very tasty! Jangl was eating all the jam!

O'r diwedd, roedd pawb wedi cael pob peth oedd ar y rhestr.

At last, they had everything that was on the list.

pasta
pasta

bara
bread

llaeth
milk

caws
cheese

jam
jam